KB136847

너라는 우주엔 잔물결이 비친다

발 행 | 2024년 01월 30일
저 자 | 너도바람꽃
펴낸이 | 한건희
펴낸곳 | 주식회사 부크크
출판사등록 | 2014.07.15.(제2014-16호)
주 소 | 서울특별시 금천구 가산디지털1로 119 SK트윈타워 A동 305호
전 화 | 1670-8316
이메일 | info@bookk.co.kr

ISBN | 979-11-410-6962-9

너라는 우주엔 잔물결이 비친다

너도바람꽃

개화

눈보라 이는 겨울바람에도
누군가는 꽃이 피기만을 염원하겠지.
세상은 그렇게 지속된다.
누군가의 시린 입김으로, 미처 끝맺지 못한 희망으로
타인은 제 목숨을 부지하리라 작정한다.
꽃은 그렇게 핀다.

차례

1부

서로 지난 날의 광명을 떠올리면서

숨

"다만 흘려보내는 것일 뿐이겠지요."

　나의 남은 활자를 모두 털어내 그대 눈망울에 불어넣습니다. 그리고 나는 내 명을 다하여 필사(必死)하겠죠. 그래도 달리 여한은 없습니다. 내 혼신은 언제나 그대의 것이었기에, 나의 죽음은 예견된 것이었기에. 초라한 내 영(靈) 그대를 위하여 소모할 수 있다면 차라리 기쁘고도 남겠지요.

　그러나 감히 내 자신 그대를 향해 염려한다 말하고픈 것은, 다만, 유한한 내 숨에 기대어 연명해온 그대 심장이 아마 내 숨이 다 동나는 날 함께 그치리라 하는 사실입니다.

그대는 여름에 피어 겨울이 되기 전 저뭅니다. 한해살이 하는 풀꽃에겐 그것이 당연한 이치겠지요. 지금은 낙엽 날리는 가을날 우리의 최후를 몸소 감각합니다. 나는 미소를 지어 보려 애쓰고 그대는 예쁜 얼굴을 구기며 훌쩍거립니다. 서로 지난날의 광명을 떠올리면서.

모든 아픔을 다 토해내며 그대는 슬피도 통곡합니다. 그대 예쁜 눈이 쓰라린 우울에 잠기지 않도록 그대 아픔은 내가 모두 삼킵니다. 나는 모든 일이 영 괴롭지 않았다 말한다면 그대는 어떤 표정을 지을까요, 그대는 천치가 아니기에, 듣기에 달콤한 새빨간 거짓말에 도무지 기뻐하는 것 같지는 않으나 나 역시 아이처럼 징징대는 법 따위 모르기에 어쩔 줄 몰라 웃어 보이는 게 답니다.

낙엽수

낙엽의 바다를 헤엄치려 하였다
우리의 사랑은 사철 푸르지 못했으나
상록수라고 매번 푸른 것이 아니고
낙엽수라고 사철 잎 떨어지는 것이 아니라면
사랑으로 말미암아
푸른 봄은 언젠가 오고야 마는 것이 아닌가

2부

곁잡을 수 없이 사라집니다 그대는

우레

아픈 현실을 안고 그대는 어디에 존재하시나요. 만일 그대가 수면 아래 잠기려 한다면 나는 그대를 건져낼까요, 그대와 함께 가라앉을까요. 나는 그대와 함께라면 아무래도 괜찮습니다.

나는 어둠에 익숙해지어 앞이 트이듯 눈을 감고 그대에게로 달려갑니다. 나는 눈을 감고도 그대와 눈을 맞출 수 있어요, 다만 모든 감각은 그대에게로. 모든 걸 잃고서야 비로소 네게 닿습니다.

그대를 사랑하게 된 순간 내가 궁금해하였던 것은 과연 그대가 사랑하는 것들이 아닌 그대가 두려워할 것들입니다. 닿을 수 없던 존재의 사랑이란 그렇게 쟁취하는 것이라 믿었습니다. 내가 가히 삐뚤어졌다 하더라도 난 변명할 여지는 없겠죠. 어찌 하였건 내게 중요하한 것은 오직 그대였기 때문입니다.

소중함이란 무엇이었을까요. 네게 묻는다면 무어라 답했을까요? 나는 만연하기 그지없는 나의 문장과 거창할 뿐인 활자를 소중케 여깁니다. 그대의 소중함이란 무엇이었던가요. 사실 내가 이해할 리 없지만 왜인지 한 번쯤은 듣고 싶어 바보같이 또 질의합니다. 네 소중함은 아마 형상화될 수 있는 감정일 텝니다. 아마도 그랬던 것 같습니다.

너는 항상 작은 것에도 기뻐해 주던 것 같습니다. 조막만한 사랑을 한 아름 모아 내 품에 안겨주곤 했습니다. 난 커다란 사랑을 그대에게 쏟아내어 짓눌렀습니다. 그대는 내 사랑에 내리깔리고는 애써 고맙다 말해줍니다. 이런 사랑은 멈출 필요가 있는 것이 아니었던가. 그리 생각하면서도 서로에게 달려가 안깁니다.

나부끼는 그대의 육신은 곧 저 아래로. 나는 그대를 건져내려, 혹은 그대와 가라앉으려 헤엄치지만 결국 나는 수면 위에 떠오릅니다. 걷잡을 수없이 사라집니다 그대는.

파랑

하늘엔 꽃이 피고 대지엔 달이 뜹니다.
뭍엔 파도가 넘실대더니 바다엔 나무가 자라요.
누군가는 구름을 걷고 누군가는 저 별을 따는데
나는 대지도 하늘도 아닌 곳에 꼿꼿이 서
묵묵히 세상을 바라봅니다.
세상은 여전히 아름답습니다.

3부

한여름 아지랑이에 몽롱한 기억들

파도의 세기

 그 애의 날개가 아직 아물지 않았더라도 아침은 어김없이, 혹은 따사롭게 찾아오고야 만다. 아득한 그림자만 내려앉은 눈가는 느닷없이 찾아온 햇살을 밀어내다가도, 이내 이른 봄볕의 종적을 간직한다.
 그 애는 제 방 안에 가득 스며들던 겨울 달빛을 떠올렸다. 겨울 달빛은 서늘한 손길로 세상을 어루만지는 한겨울의 성인(聖人)이었다. 겨울 달빛의 시린 손길은 때론 고립된 존재들로 하여금 제 추운 겨울이 오직 자신만의 것이 아니라는 사실에 안도하게 했다. 그 애는 겨울 달빛에 어깨에 기대어 제 상념을 흘려보내곤 했다.

"저기, 새벽에 잠겨 해가 뜨기만을 기다리는 타인이 존재하는데, 나의 아침이 어둡다는 이유만으로 나의 감정에 우울이라는 이름을 붙여도 되나요?"

그 애는 몰아치는 파도에 못 이겨 하루를 흘려보내면서도, 저보다 더 큰 그림자에 사는 자들을 지켜보며 제 아픔을 다만 꾀병이라 헤아렸다. 겨울 달빛은 씁쓸히 웃으며 그 애를 감싸 안을 뿐이었다. 겨울 달빛은 다시 찾아볼 수 없이 떠나버렸지만, 그 애는 아직 해답을 찾지 못했다. 유유자적 연안을 거닐며 이제는 볼 수 없는 겨울 달빛을 추억하는 수밖에 없었다.

멋모르는 이른 봄의 햇살은 눈이 부시게 사랑스러워서 그 애가 죄악감에 스며들게 만든다. 이를테면, 모두가 저리 반짝이는데 자신만이 어둠 속에서 죽어간다는 사실이 그 애에게는 참을 수 없이 절망적인 일이었다. 모두가 오랜 밤을 감내하던 겨울날의 달빛은 그 애가 이런 감정을 견디도록 두지 않았다.

그러나 정말 이대로라면 그 애는 평생토록 일어서지도, 다시 한번 날아오를 수도 없을 것만 같았다. 그래서 그 애는 겨울 달빛마저 일으키지 못한 제 아픈 몸을 가히 일으켜 세웠다. 오랜만에 땅을 딛는 그 애의 발은 싱그러운 풀의 감촉을 온전히 감각한다. 울부짖을 뿐이던 그 애의 심장이 완전히 새로운 설렘으로 박동한다. 완연한 봄의 일광에 그 애는 어쩐지 들떠 한참이나 세상을 달린다.

그 애는 이내 숨을 고르며 봄에 파묻힌다. 벅찬 숨결에 이

내 잊고 있던 생각들이 몰려오기 시작했다.

'새벽에 잠겨 해가 뜨기만을 기다리는 타인이 존재하는데, 나의 아침이 어둡다는 이유만으로 나의 감정에 우울이라는 이름을 붙여도 되나요?'

'이리도 역력히 행복을 감각하는 내가 감히 우울을 논해도 괜찮은 걸까요?'

이내 여름의 향취를 한 아름 껴안고 다가온 늦봄의 햇살이 그 애의 뺨을 어루만진다. 산뜻한 샛바람을 몰고 온 늦봄의 햇살은 그 애의 귓가에 대고 달콤한 서몽을 속삭였다.

"그런 것들은 고민하지 않아도 괜찮아요. 우리가 파도의 세기를 매기지 않듯, 사람의 감정에는 양을 논하지 않는답니다."

그래서 그 애는 느지막이 햇살을 지나는 초여름의 화을바람에 힘입어 제 날개를 펼쳐 비상한다. 아름답디아름답던 겨울 달빛과 이른 봄의 햇살을 다시 한번 마주할 때까지, 그 애는 연이어 활공하기로 약속한다.

피상적 영원

한 조각의 여름 함께 머무른 우리는
매 순간의 여름에 서로를 꿈꾸고야 말았어

한여름 아지랑이에 몽롱한 기억들
환상 속 우리는 영원히 존재하겠지

여름은 참 현실적이고도 낭만적이지 않니
몽상을 헤엄치는 듯하면서도 꿈꾸는 것 같지는 않았어

우리는 함께 겨울을 기다렸지만
결국은 서로의 여름으로 남아버리고야 말겠지

날갯짓 비행

지나 와버린 사랑은 추억하는 수밖에 없을까?
코 끝엔 네 향취가 만연한데
이미 너는 걷잡을 수 없이 멀어져 버려서
차마 두고 올 수 없었던 날갯짓 한 송이를 안고 나아가는
거야

자전의 궤도를 돌자
제자리걸음이겠지만
지구 위 매 순간 달라지는 우주를 느끼며 도는 거야

이 순간은 다신 돌아오지 않는대
나아가는 척 여러 환상을 꾸다 보면
언젠간 이 순간도 너도 돌아올 것만 같아

하지만 환상은 환상으로 묻어 두고
언젠가 날아 올라야만 할 거야
품속에 묻어둔 날갯짓을 펼쳐
네가 있는 우주로 날아오르는 거야

4부

너라는 우주엔 잔물결이 비친다

바다

너라는 우주엔 잔물결이 비친다.

달이 바다에 녹아들 때

"우리, 다시 만나면 저 별을 따러 갈까요? 다시 한번 당신과 함께 저 빛나는 별들을 헤아릴 수 있다면 얼마나 기쁠까요? 나는 별이 담긴 그대 눈동자가 얼마나 찬연할지 기대해요. 우리는 언제쯤 다시 손을 맞잡을 수 있을까요? 저 별빛을 내 품에 안겨주겠다고 약속했잖아요. 이 배 위 사람들은 허영심에 가득 찬 파티들을 즐기곤 해요. 그럴 때면 난 멍하니 앉아 텅 빈 앞자리에 당신을 그려 넣는답니다. 이 끔찍한 파티에 당신이란 두 글자를 그려 넣으니 내 입꼬리도 덩달아 함께 올라가는 게 아니겠어요? 당신 생각만 해도 난 이렇게 기쁜데, 만약 다시 그대를 마주한다면 얼마나 기쁠지

난 상상도 할 수 없어요. 당신이 내 곁에 없더라도 나는 그대가 어느 별을 바라보고 있을지 예상할 수 있어요. 우리는 비록 멀리 떨어져 있지만, 그대는 아마 나와 같은 별을 바라보고 있겠죠! 이렇게 생각하면 나는 우리가 마치 운명이라도 된 것 같아 기뻐요. 당신은 언제나 내 기분을 저 달빛 위로 오르게 만들죠. 우리 다시 만나면 손을 맞잡고 저 쏟아지는 별들을 넋 놓고 바라봐요. 나 이제 이 바다의 끝을 보러 가요. 이 바다 너머에는 당신이 있겠죠."

좋아해

열린 책 사이에 사랑한다는 말을 적어두는 거야
네가 힐끗 보고 지나갈 수 있게

책갈피 뒤편에는 보고 싶었단 말을 적어두려고 해
보고 싶었다는 말에는 많은 의미가 담겨 있어

내가 얼마나 기다렸는지
보고 싶었단 말만으로도 알 수 있을 거야

힐끗 보고 지나가 주기를 무척 기다렸는걸

좋아해

사랑한다는 말은 너무나도 거창해서
입 밖으로 꺼낼 수 없어
너는 의식조차 못하는데
이렇게나 커다란 마음을 불쑥 내밀어버릴 순 없잖아

그래서 나는 염원이란 시어 사이에 내 마음을 숨기고
염원은 때론 영원 속으로 사라져버리지

눈앞의 망설임

첫눈이 내리기 전에 우리 만날 수 있을까?
나는 항상 네 뒤에 서 있어
네가 돌아본다면 우리는 서로를 마주할 수 있을 거야

다만 어깨를 톡톡 두드려볼 용기는 나지 않아서
소맷자락만 만지작거리다 놓아버리고 말아
네가 알아차려 주었다면 기뻤을 텐데

차라리 전 세계의 언어로 사랑한단 말을 배워보는 건
어떨까
남몰래 사랑한다고 말하는 거야
사실은 알아주길 바라고 있겠지만
네가 이해하는 언어로 사랑을 말하는 건 너무 부끄럽잖아

있잖아
언젠가 너도 알아주겠지?
외계어로 전한 사랑도
소맷자락만 만지작거리다 만 손끝도
네 등 뒤에 서 있는 나도

언젠가 네가 바라봐주겠지?

5부

백지를 메우던 푸른 구름에 작별인사를 띄울까

서로를 애타게 붙잡아보자고

 아픈 맘을 헐떡이면서도 네가 늘 하던 말이 있다. 세상에서 잊히고 싶지 않다고, 너는 항상 그렇게 말했다. 죽어서야 잊히든 말든 무슨 의미인가 싶었지만 나는 네 손을 꼭 잡고 잊지 않겠다고 말해 주었다.
 나는 죽음에 관하여 어떠한 입장이었던가? 형언해 볼 생각은 하지 않았지만, 어쨌거나 죽음은 마땅히 찾아올 일이기에 유다른 의미를 둘 생각조차 없었다. 너는 무엇을 그리 중요하게 여겼기에 죽어가면서도 잊히고 싶지만은 않았던 걸까. 죽으면 다 끝 아니었던가. 아, 물론 널 이해하지 못해도 사랑하는 건 마찬가지였다.

"걱정하지 마 내가 살아남아서 평생토록 너를 기억해볼게"

내가 그리 말하면 너는 제 남은 명을 가져가 내가 살아남아달라고 말했다. 그렇지만 너 없이 내가 있을까. 안일한 맘으로 맺어버린 모든 언약에 나는 의구심이 드는 것이었다. 그래서 그렇게 말했다. 서로를 애타게 붙잡아보자고.

그렇담 내가 죽으면 난 너의 불행이 되겠지. 너는 작게 읊조렸다. 너 없인 살아갈 자신이 없어 미처 대답할 수 없었다. 대답하지 못한 채 너를 떠나보냈다.

제비꽃 향기 닿을 무렵에

 신기하게도, 몇 날 며칠을 지새워도 그대가 떠난 것이 엊그제 같은데 이미 까마득히 오래 전 일이 되었답니다. 차라리 비라도 쏴아아 퍼부어준다면 기쁠 텐데 하늘엔 기분 나쁜 먹구름만 가득합니다.

 어젯밤 조카가 태어났다는 소식에, 한달음에 병원으로 달려가 보았습니다. 왜인지 그 애에게서는 네가 꿈에서 한 아름 따다 주었던 제비꽃 내음이 물씬 풍겨옵니다. 아마 사람은 제비꽃밭에서 와 제비꽃밭으로 돌아가나 봅니다. 살아생전 네게 어떤 꽃을 좋아하는지 들어본 적은 없습니다. 제비꽃을 좋아한다 하였다면 나는 조금 더 기뻤을까요. 꿈속에서 그대는 제비꽃 숨을 푹 내쉬었습니다.

 또 다른 생명이 피고 지는 경계에 서 나는 외줄 타기를 합니다. 그러나 이 줄에서 굴러떨어지는 한이 있더라도 네가 숨 쉬는 제비꽃밭에 닿을 길은 없어 보입니다. 그래서 제비꽃 피던 그 순간에 나는 머물러 있습니다. 날이 개고 조카의 제비꽃 향취가 지워질 때쯤엔 내 시간도 언젠가 흐를 테지요. 그리고 나는 걸을 텁니다. 그러면 또 다시 너의 꽃밭에 닿을 겁니다.

다시, 파랑

어린 맘으로 피운 꽃은 시들어만 가고
백지를 메우던 푸른 구름에 작별인사를 띄울까요.

겨울 달빛을 붙잡아 볼까
이른 봄의 햇살을 기다리나 볼까
앳된 나의 예술을 추억하며 나는 지금
뒤틀린 세상에 발을 붙입니다.

나는 말이죠, 나 역시 파도치는 하늘에 적응치 못하고
대지도 하늘도 아닌 곳에 꼿꼿이 서 세상을 관망하던
시절이 있었습니다. 그야 그렇지 않습니까. 하늘엔 꽃이
대지엔 달이 뜨는데 그대들은 하여간 적응해 나가는 게
아니던가요. 그래서 차라리 뒤틀린 세상을 마음껏
노래하겠노라 마음먹었는데 이제 보니 나도 그 안에 이미

발붙여 있던 게 아니겠습니까?

나에게도 푸른 하늘이, 단단한 대지가 있었습니다.
하늘 높이 뛰어오르면 구름이 날 붕 띄워주고
단단한 대지가 나를 붙잡아 줄 것만 같았죠.
그런 세상에서 살고자 하는 꿈이 있었더랍니다.

어린 맘으로 피운 꽃은 시들어만 가고
백지를 메우던 푸른 구름에 작별인사를 띄울까요.

제자리 바람

외마디 탄식을 남긴 채 그대는 떠났죠.
만약 바람의 방향을 바꿀 수 있다면
그대의 곳으로 나부낄 텐데.

다만 바람은 쉬이 방향을 틀지 않습니다.
나는 그대의 종적을 몰라
그저 엉겨 붙는 바람결에 몸을 맡길 수밖에요.

담벼락에 새는 별빛은 과연 그대에게 닿을까요.

6부

태양이 나의 것이어서는 안 됐다

구원

태양이 나의 것이어서는 안 됐다.
네가 나의 것이어선 안 됐다.
나의 모든 순간에 네가 존재해선 안 됐다.

이제 너 없인 살 수가 없다.

초신성을 바라본 수기

　모든 도시의 여자들이 그렇듯 나는 반짝이는 도시의 공기
를 사랑했다. 정처 없이 그 거리를 걷던 데엔 거창한 이유가
없었다. 시끌벅적한 거리와 거추장스러운 액세서리, 가끔은
쌉쌀하게 느껴지곤 하던 커피…… . 고작 그런 것들을 위해
난 매일 밤 도시에 물들었다.

　그리고 어젯밤, -어젯밤이었는지, 수년 전이었는지 혹은 방
금 전이었는지 기억이 나질 않는다. 사실 이제 그런 건 아무
래도 상관없었다.- 그다지 예사롭지만은 않은 일이 일어났
다. 아무래도 도시의 시계가 고장이 난 모양이다. 도시의 시
간이 멈췄다. 마치 꿈에서 그렇듯 난 익숙하게 도시를 들여

다보았다. 자연스레 흐르는 것과 흐르지 않는 것들을 살폈다. 모피를 입은 저 여자의 액세서리는 이제 달랑이진 않았으나 그녀의 향수 냄새는 여전히 코 끝에 맞닿았다. 마치 이런 것과 같이, 분명 시간이 멈추더라도 변함없이 흐르는 무언가를 사랑하였던 적이 있다. 그게 무엇이었는지는 도저히 떠올려내지 못했다. 저 하늘을 가득 메우던 먹구름은 구르지 않으나 저 밤하늘은 여전히 파랗다. 아, 내가 사랑하던 것은 마치 그런 것이었다.

근래 수년간의 나는 날 감각하지 않았다. 수많은 나를 잊으려 들었다. 그즈음의 나는 후안무치한 방랑객이었고, 내가 사랑하던 많은 것들을 구실조차 없이 심연 저 아래에 묻어버렸다. 그리고 그 값어치에 대하여 생각할 수 있게 된 건 아마 도시의 시간이 완전히 돌아온 이후의 일이리라. 나는 높은 하이힐과 거추장스러운 치맛자락을 이끌고 정처 없이 나아 서기 시작했다.

그래, 그 무렵까지만 해도 나는 아직 보기 좋은 겉치레에서 벗어나지 못한 모양이었다. 여러 겹 쌓은 화장과 온갖 명품 가방, 액세서리, 코를 찌르는 향수는 마치 내가 이 도시의 일원인 양, 내게로 어떠한 안도감을 불러일으켰다. 자그마한 한 톨의 안도감에 나는 나를 향락가의 그 어딘가에 묻어둔 채로 다시 한번 걷기 시작했다.

가끔 운명의 갈림길 앞에 설 때면 이유 없는 확신이 발붙일 때가 있다. 마치 그런 것과 같이, 분명 이 도심에 누군가 박동하는 심장을 부여잡고 살아 숨 쉬리라 하는 확신이 들었다. 그를 반드시 찾아야 할 것만 같았다. 그러나 그다지 찾을 방도를 알진 못했기에 그저 걸어 나설 뿐이었다. 모든 것이 멈춰버린 도시에서는 다만 거리를 떠도는 것 외에는 할 수 있는 것도 없었다.

도심의 한 가운데를 7번 하고도 반 정도 돌았을 즈음 문득 도시의 외각으로 발걸음을 돌려볼까 하는 생각이 들었다. 생기로 가득 메운 도시의 중심부는 멈추어 버리자 낯선 나머지 괴상하게까지 느껴지던 반면, 외각에는 이미 마감해버린 작은 가게들로 곳곳이 채워져 멈춰버린 뒤에도 어색하게 느껴지지 않았다. 그럼에도 자그마한 노점들은 과연 하고많은 사람들이 제 나름의 숨을 불어넣어 만들어낸 곳임을 새삼 감각하게 만들었다. 활기찬 도시는 늘 메말라버린 듯하였음에도.

오묘한 기시감이 들었다. 어딘가 꿈에서 본 적 있었던 것만 같았다. 아니, 어쩌면 아주 오래 전 꿈꿔왔던 모습의 머리맡을 읽고 있던 걸지도 모르겠다. 그제야 내 삶에 있어 커다란 전환점에 발돋움하였음을 직감했다. 고요하던 세상에 자그마한 바람이 휘익 스치고 지나갔다. 무언가 다시 흐르기 시작했다. 또는, 어쩌면, 누군가가 제 팔을 휘저어 바람을 만들어내고 있음이 틀림없었다! 나는 방향조차 모른 채 그에게 달려갔다. 이유는 기억나지 않는다. 사실 그즈음에도 이유 같은 건 알지 못했을 것이다. 사고 따위는 집어던진 채 혼신을 감정에 떠맡겨 부유하기 시작했다.

아, 네가 보였다.

*

아무것도 흐르지 않았다. 너와 나만이 호흡했다. 분명 이런저런 통성명 정도는 나누었음이 분명한데 아무것도 떠오르지 않는다. 순간의 기억 속에는 날 바라보던 네 눈만이 남았다. -이는 여담이나, 훗날 몇 번이고 이 장소를 재방문하였으나 우리가 함께할 때와 같은 네 눈은 다시 한번 볼 수 없었다.- 오랜 시간을 헤매어 너에게 다다른 나와 달리, 너는 나를 찾기 위한 일말의 노력도 들이지 않은 것으로 보였으며, 모든 게 멈춘 이 기이한 현상과 그 안에서 너를 찾아온 나를 향하여 아무런 당혹감도 내비치지 않았다.

책방 창틀에 걸터앉아 있던 너는 이내 나에게서 눈을 떼더니 곧바로 하늘을 응시하기 시작했다. 내가 네 반응이 얼떨떨해 무얼 하나 묻자 너는 얼굴을 조금 구기며 달을 가리켰다.

"겉보기에야 모든 게 다 멈춘 것 같지만 시간은 여전히 흐르고 있을지도 몰라. 그래서 달을 보고 판단해보려는 거야."

막연히 시간 역시 멈췄겠거니 생각하고는, 이 기이한 현상에 대하여 더 알아보기를 그만둔 내 자신이 조금은 한심하게도 느껴졌다. 네 눈엔 내가 얼마나 백치처럼 보였을까. 하이힐도, 두꺼운 화장도 왜인지 부끄러워 나는 한동안 바보같이 달만 바라보다 곧 너에게로 시선을 돌렸다. 그리고 눈이 마주쳤었다. 너는 눈길 한 번 주지 않았던 주제에 줄곧 나를 바라보고 있었던 양 나를 보았다. 너는 항상 모든 걸 꿰뚫고 있는 듯 기세 좋은 눈빛으로 날 바라보았다-늘 너를 떠올릴 때면 나는 모르는 것 없는 전지전능한 형상을 보는 것 역시 그 눈빛 때문일 지도 모른다.

너는 창틀에서 내려오고는 대뜸 나에게 손을 내밀었다. 나는 여전히 얼떨떨한 표정을 하고 멀뚱히 네 손을 보았다. 너는 손을 잡아보라는 듯 고개를 까딱하더니 내가 망설이자 억지로 내 손을 잡아챘다. 무례한 짓임이 분명한데도 나는 어딘가 뿌리칠 마음이 들지 않아 그대로 곧장 따라갔다. 너는 내 허리춤을 붙잡고 책방 옥상으로 잡아 올려주었다. 나는 외마디 비명을 지르고는 지붕 끝에 섰다. 너는 곧 따라 올라왔다. 맞잡고 있던 손을 놓으며 너는 나직하게 따라오라고 속삭였다. 그러고는 달리기 시작했다.

너는 커다란 달 아래 달리고 또 달렸다. 건물과 건물 사이를 건너며 더 높은 곳으로 올랐다. 나는 힐끔힐끔 널 쳐다봤지만 너는 뒤돌아보지 않았다. 뒤떨어지든 말든 아무래도 상관 없었던 건지, 혹은 반드시 따라올 거라고 믿었던 건지는 모르겠다. 혹은 별 생각 없이 잘 따라오고 있으리라 짐작했을지도 모른다—그런 건 아무래도 상관없겠지만. 나는 너를 놓쳐서는 안될 것만 같은 마음이라 하이힐을 벗어던지고 전력으로 질주하기 시작했다. 사라질 듯 사라지지 않는 네 뒷모습을 바라보며.

네 표정을 확실히 읽을 수 있을 만큼 가까워졌을 때 너는 비로소 멈춰 섰다. 밤하늘—정확히 무엇을 보고 있었던 건지는 모르겠으나 그날 별이라곤 전혀 보이지 않았기에 마치 너는 허공을 바라보는 것처럼 보였다.—을 바라보며 너는 마치 내가 보지 못하는 것을 보고 있는 듯했다. 네 표정을 자세히 확인하고 싶은데 이만 네가 하늘로부터 고개를 휙 돌려 버릴까 봐 머리 스타일이 엉망이 되는 것 정도는 생각하지도 않고 나는 그저 달릴 뿐이었다. 내가 네게 닿자 너는 하늘로부터 고개를 떨궜다. 그리고는 그 몽롱한 표정은 온데간데없이 다만 나를 바라봤다.

"이제 잘 보이지?"

너는 능청스럽게 입꼬리를 슬쩍 올리며 달을 가리켰다. 아, 달을 더 잘 보려고 여태 여기까지 올라온 거였구나. 너는 능숙하게 비상계단을 타고 내려가 담요 몇 장을 가져왔다.

너는 너무나도 침착했다. 또 능숙하기까지 했다. 나는 시간이 멈추는 이 기이한 현상을 너는 수차례 겪어보기라도 한 거냐고 물었다. 너는 소리 내어 조금 웃고는,

"그런 게 중요해?"

하고 되물었다. 그리고는 담요를 바닥에 몇 장 깔았다. 한 장은 내 무릎에 덮어 주었다. 너는 가끔 이해가 가지 않을 만큼 친절했다. 그 정도가 과해서가 아니라, 다만 너에게서 보이는 무심한 인상-태도가 아닌 오로지 말투나 표정 같은 데에서 느껴지는-와는 전혀 닮지 않았기 때문이다.

"그냥 이 건물을 알 뿐이야."

내가 여전히 의심스럽게 너를 바라보자 너는 뒷말을 덧붙였다. 어쨌든 네가 이 기이한 현상을 겪어본 적이 있는 건지는 모르겠다. 후술하겠지만, 너는 다만 침착할 뿐 이 현상에 대해 아는 것이 없었다.

우리는 달을 바라보며 도란도란 몇 가지 이야기를 나눴다. 너는 그림을 그린댔다. 그 말을 듣고는 이유 없이 반가운 마음이 들었는데 무엇 때문인지는 알 수 없었다. 어딘가 가로막힌 기분이 들었다. 너는 꽤 많은 것들을 말해주었으나– 나는 네 질문에 아무 것도 답할 수 없었다. 나에게도 사랑하던 무언가가 있는 것이 분명한데 떠오르지 않는다고 말했다.

그 무언가를 찾아 주겠다며 너는 나를 일으켜 세웠다. 내가 엉거주춤 일어서자 넌 옥상 난간에 팔을 기대고 물었다. 확인을 구했다는 표현이 적합할지도 모르겠다.

"네가 사랑했던 건 예술이었겠지?"

도시를 향유하는 이로써 아름다움을 좇기야 하였지만 예술과는 차마 거리가 먼 인물이 아니었던가. 난 왜 그렇게 생각하느냐고 물었다.

"그렇지 않고서야 이렇게 간절한 표정을 지을 리 없잖아."

나는 당장 어떤 표정을 짓고 있는지조차 깨닫지 못했으나 내 이해관계와 상관 없이 너는 제멋대로였다. 너는 나를 샅샅이 훑어봤다. 나는 너에게 몸을 맡기기로 했다. 너는 내 손 끝, 발끝을 살폈다. 손 끝을 살피었던 것은 현악기를 켜다 생긴 굳은살이 있는지 확인하기 위함이겠지, 또 구두를 벗어 던진 발뒤꿈치를 바라보고 있자니 발레리나를 꿈꾸던 어릴 적이 떠오르기도 하였다. 이처럼 나는 네 생각을 좇으려 네 시선의 끝을 좇았다.

너는 연신 내 온 몸을 뒤적이다 내 손을 다시금 붙잡고는 깨달았다는 듯이 웃었다.

"난 찾았는데, 네가 한 번 맞춰 볼래?"

나를 만난 지도 고작 십여 분 밖에 되지 않았으면서 너는 완벽하게 나를 아는 듯 당당했다. 넌 어딘가 전능한 존재일 것만 같아 네 태도가 아무리 오만해도 불쾌하지조차 않았다.

나는 내 손을 보았다. 손은 새하얬다. 아무리 들여다보아도 다른 게 보이지는 않았다. 모르겠다는 듯 널 바라보았지만 너는 고개만 까딱할 뿐이었다. 네가 말이 없자 나는 네 손을 붙잡고 비교했다. 굵직한 손목과 팔뚝, 세상을 자유롭게 누비었음을 증명하는 억센 힘줄…… 정말로 아무 것도 하지 않은 듯한 내 손과 공통점이라곤 없어 보였지만,

아, 공통점이라곤 단 하나 있다면 손가락이었다. 곧지 않게 휜 모양새가 닮았다. 그러나 두꺼운 모필을 잡고 화구와 이젤을 날랐을 너와는 다른 섬세함이 깃들어 있었다. 그래, 내가 잡던 것은 펜이었구나. 나는 시를 쓰던 사람이었나 보다……. 깨닫고는 환호성을 내질렀다.

또 너에게 어떻게 알았느냐고도 물었다. 너는 나 역시 자신과 같은 방법으로 깨달았으면서 바보 같은 질문을 한다며 날 타일렀다. 아무렴 괜찮았다. 새록새록 떠오르는, 풀꽃 하나에 공책을 꺼내 드는 지난 내 모습이 참 좋아서 웃음이 실실 흘러 나왔다.

나는 이제 어떻게 하느냐고 물었다. 차오르는 행복감 속에 작은 불안-아마 지금껏 꿈을 잊고 산 것과 같을-이 깃들어 있었다. 지금보다는 훨씬 나은 사람이었을 과거의 나마저도

이어갈 수 없었던 문학을 과연 텅 빈 내가 어떻게 쓰냐는 것이었다.

"네가 어떻게 시를 쓰기 그만두었는지는 모르겠지만, 아마 제재가 고갈되어 버려서가 아니겠어? 그렇다면 글쓰기를 멈추고 도시를 향유한 너는 다시금 꽉 찬 사람이 되어 있을지도 몰라."

그러고는 잠시 웃어 보였다.

"방황으로 말미암아 마침내 너는 시를 쓸 수 있는 사람이 된 거지."

나는 눈을 잠시 내리깔았다가 다시 너와 눈을 맞추며 이제 뭘 쓰면 좋겠냐고 물었다. 너는 미소지으며 답했다.

"우리에게 남은 제재는 하나 뿐이잖아."

*

나는 너를 적어 내렸고 너는 나를 그렸다. 나는 내색하지 않으면서도 네 그림이 내심 궁금해서 힐끗거렸지만 너는 틈을 주지 않았다. 물론 널 상상하며 쓰는 것 역시 즐거운 것은 마찬가지였다. 내가 네 그림을 떠올리지 않고 글을 쓸 수 있는 마지막 기회가 아니었겠는가.

"신기하네."

나는 뭐가 신기하냐고 물었다.

"너를 그리는데도 그림이 너처럼 보이지는 않아. 그럼 이건 누구지?"

나는 오래 전 알았던 사람의 얼굴과 겹쳐 보이는 게 아니겠냐고 말했다. 너는 고개만 까딱했다.

거침없이 어두운 색을 칠하던 너는 사용한 적 없어 보이는 깨끗한 물감을 꺼내 들었다. 너는 실제로 재료를 거칠게 사용하였기에, 지저분한 팔레트 속 밝은 물감 한 통은 그 사이 어색하게 자리 잡고 있었다. 컴포즈 그린. 그렇게 쓰인 백옥색 물감을 너는 세필로 얇게 덜어냈다. 너는 아주 세심한 손길로 붓질했다. 아마 하이라이트였던 것 같다. 그러나 그 당시에 하이라이트라는 단어를 알지 못해 거의 완성해가나보다, 하고 속도를 높이려 더 힘을 내던 것 같다.

반면 나는 오랜만에 펜을 잡아서인지 작업 속도가 꽤 느렸다. 희미하게 떠오르는 어린 날의 내 글보다도 무척 투박하고 냉랭한 글을 쓰고 있기도 했다.

그 애는 이제 만류할 새도 없이 그이의 것으로 잠식되어 갔고, 그 애는 마치 그이가 된 것 같았다.

마지막 문장으로 그렇게 적어 내리고는 나 역시 펜을 내려놓았다. 이미 나는 그 너에게 잡아 먹히고야 말 존재임을 알고 있었던 걸까, 그 시기의 네가 나에게 얼마나 다정했었는지를 떠올리면 위화감이 든다. 후술하겠지만, 차갑게 떠난 네 뒷모습을 비교할 때면 그 이전의 너는 마냥 다정할 뿐이라 서로 다른 사람 같다고 생각하기도 했다. 마치 평생토록 곁에 있을 것만 같이 말이다. 그 시기의 나는 언젠가 사라지고 말 아지랑이처럼 너를 여겼던 것 같다.

작품을 완성한 듯 보이는 너는 느긋하게 나를 바라보고 있었다. 나는 완성했다고 중얼거리듯 말했다. 서로 보여주지 않겠냐면서 너는 나에게 그림을 내밀었다.

아, 이건 나였다. 물론 당시의 나와는 확실히 닮은 구석이 없었다. 허리까지 머리카락을 길게 늘어뜨린 나와는 달리 그림 속 그녀는 사랑스러운 단발을 나부끼고 있었다. 마치 과거의 나를 보여주듯. 전체적인 색채는 매우 짙고 암담했음에도 그녀는 아주 명랑해 보였다. 그녀의 눈망울에 비치는 백옥색-아마도 컴포즈 그린-이 매우 강렬하여 다채롭게 보였다. 그림 속 그녀는 걸어 나올 것처럼 생생하였음에도 왜인지 가로막힌 듯한 기분을 들게 만들기도 했다.

너는 속독에 익숙해 보였다. 내가 한참 그림을 살피는 동안 너는 이미 글은 다 읽고 나를 응시하고 있었는데, 내 글을 대충 읽었다기보다는 그만큼 읽는 속도가 빨랐던 것 같다. 그러고 보니 책방을 자주 방문하는 것으로 보였다.

"느낌이 굉장히 좋네. 오랜만에 글을 쓴 기색이 아예 안 나지는 않는데, 감성이 좋아서 서투른 것처럼 보이지는 않아."

그러고는 매력적이라는 말을 덧붙였다. 나는 한껏 고양된 감정으로 네 그림에 대해 이야기하기 시작했다. 그림에 대해 잘 모르지만 굉장히 아름답다는 등, 과거의 나와 닮아 보여서 기쁘다고 말했다. 너는 조곤조곤 맞장구치며 날 보고 싱긋 웃었다.

"슬슬 밤하늘 한 번 올려다볼래?"

눈살을 찌푸리고 오랫동안 밤하늘을 올려다보았는데도 어

떻게 변하였는지는 느껴지지 않았다. 너는 내 반응을 살피더니 피식 웃으며 달을 가리켰다.

"봐, 아까보다 서쪽으로 움직이지 않았어?"

다시 보니 그런 것 같기도…… 사실 체감이 되진 않았다. 네가 그렇다니 그런 거겠지, 고개를 연신 끄덕이고 말았다.

"어릴 적 그런 생각 안 해봤어? 로터리 한가운데에 서 본다던가, 신호등을 결승점 삼아 단거리 경주를 한다던가."

한 번도 그런 공상을 해본 적은 없지만 즐거울 것 같다고 답했다.

"해가 뜨고 나면 모든 게 돌아올 지도 모르니까, 다시 세상이 시작하면 하지 못할 일들을 전부 해보자."

정말 마음에 든다고 답했다.

*

네 손을 붙잡고 정처 없이 향했다. 단순히 너에게 이끌리기만 한 것은 아니었다. 마치 운명이 가리키는 곳을 향하듯 우리는 나부꼈다. 달랑이다 멈추어버린 시계추를 툭툭 쳐 보기도, 정적인 사람들과 악수를 해 보기도 하였다. 그러고는 인적이 드문 도시로 향했다. 우리에게는 스포트라이트가 필요했다. 밝은 네온사인이 비추는.

휘청이듯 걷다 도착한 곳은 환한 가로등 아래였다. 어떤 의도로 건설했는지 모를 커다란 가로등 하나가 사거리를 비추고 있었다. 우리는 그 한가운데 서 맘껏 소리를 질렀다. 발가벗은 듯한 기분이 들었다. 너는 붓을 비녀 삼아 머리를 틀어 올렸고, 나는 머리카락을 풀어 헤쳤다. 서로의 손을 잡고

빙글빙글 돌기도 하였다. 손을 놓치면 나는 미친 사람처럼 다시금 소리 내어 웃으며 달렸다.

그리고 네 눈을 바라보며 머릿속 둥둥 떠다니는 시 한 편을 낭송하였다.

인생을 꼭 이해해야 할 필요는 없다.
인생은 축제와도 같은 것!
하루하루 일어나는 그대로 살아가라.
바람이 불 때 흩어지는 꽃잎을 줍는 아이들은
그 꽃잎을 모아 둘 생각은 하지 않는다.
꽃잎을 줍는 그 순간을 즐기고
그 순간에 만족하면 그 뿐.

"무슨 시야?"

라이너 마리아 릴케라고 소리쳤다. 우리는 '인생은 마침내 축제와도 같은 것'이라며 한 번 더 소리를 질렀다.

과거의 기억들이 물 밀듯 거세게 들이쳐 정신을 차릴 수 없었다. 머리를 마구 흔들다 고개를 들면 네가 보였다. 어느새 정말 환상적이고 완벽한 건 이 순간이 아닌 너였다. 모든 게 사라지고 나서도 오직 너만 있다면 평생 이토록 황홀할 수 있을 것만 같았다.

너는 어땠을까? 분명 만족스러워 보였는데, 너 역시 즐거워 보였었다. 직접 그렇게 말하기도 했었다. 지금의 네가 너무 무미건조해서 그때의 네 얼굴을 상상하기가 어렵다.

우리는 해가 뜨면 모든 게 끝나리라는 걸 직감했다. 우리는 방금 이 광란성파를 시작한 주제에 어지럽지 않은 인생은 상상조차 할 수 없어서, 두려움에 질려 모든 걸 그만두는 수밖에 없었다. 여명이 밝아오는 것을 바라보며 우리는 처음 만난 책방을 향했다. 날이 밝을 수록 빛에 가려 네 표정을 볼 수가 없었다. 아마 웃고 있지는 않았던 것 같다. 온 몸을 채우던 만족감은 흩어졌고 시시각각 속이 녹아내리는 것 같았다.

책방에 도착하고 나서 우리는 책방 외벽에 기대어 바닥에 앉았다. 나는 네 무릎에 기대 누웠다. 우리의 시끄러운 축제가 막을 내리며 잠시 찾아온 정적을 즐겼다. 나는 그 사이 잠이 들었다. 나쁜 꿈을 꾼 것 같았다. 무슨 꿈이었는지는 도저히 기억이 나지 않는데, 꿈에서조차 너무나도 끔찍해서 제발 그 순간이 꿈이기를 빌었다. 누군가, 어쩌면 신이 나의 상황을 마지못해 바꾸어 주기라도 한 것처럼 고향에 돌아온 기분을 느끼며 잠에서 깨었다. 너는 가고 없었다. 머리에 닿는 거친 아스팔트의 느낌이 말해주었다. 네가 아주 사라져 버릴까 봐 두려워 한참 동안 눈을 질끈 감고 있었다. 이후 햇살이 눈꺼풀을 간지럽혀 도저히 참을 수 없을 때쯤 슬며시 눈을 떴다. 햇살이 드리우는 곳곳마다 사람들이 활기를 되찾아 움직이고 있었다. 저 멀리서 너는 그들을 허망하게 바라보고 있었다.

네 바로 등 뒤에 서 또 한참을 망설였다. 네 소맷자락만 만지작거리다가 놓아 버리고 말았다. 내가 뒤 돌아 떠날 준비를 할 때쯤 고개를 돌렸다. 그리고 눈이 마주쳤다. 우리가 서로의 눈을 바라본 마지막 순간이었다. 매 순간 너와 눈을 맞출 때면 느끼던 강렬함은 온데간데없이 황량한 눈빛으로 너는 나를 바라봤다.

 우리는 서로의 모든 걸 알았다. 다만 나는 너의 모든 걸 적어 내리고 싶었고, 너는 내 가장 아름다운 순간 하나를 그리고자 했다. 나에게 너는 이미 한참 남았지만 우리 이미 혼신을 다 태워버려서 너에게 내가 더는 볼 것도 없는 것이었다. 너는 그렇게 설명했다.

 나는 이제 너의 제재가 아니었다.

 너는 걸치고 있던 외투 한 벌을 나에게 벗어 주고선 뒤돌아 서 떠나 버렸다. 마지막 다정함을 남겨 두고 너는 그렇게 떠나 버렸다.

 그즈음까지만 해도, 사실은 아직도 네가 이제 없다는 사실을 받아들이기엔 너무 이르다. 모두 제쳐 두고 책방에 들어가기로 했다. 유독 익숙한 표지가 눈에 들어왔다. 생소한 언어로 적힌 제목을 한참 동안 바라보다 이전에 마음 깊이 사랑하던 작품이었음을 떠올릴 수 있었다. 데미안, 나는 데미안을 무지 사랑했었다. 책을 내려놓고 데미안에 우리를 넣어보기 시작했다. 천천히 이야기의 맥을 짚어 나갔다. 너는 데미안, 나는 싱클레어라면 나의 삶은 너를 찾아 나서는 여정일지도 모른다. 책방 속 모든 작품은 너와 나의 것이 되어 내 망상에 잠겼다. 너는 데미안도, 오페라의 유령도, 레베카도 될 수가 있었다. 나는 1인칭 관찰자가 되어 너를 노래하려 들었다.

너와 나만이 남아 책방 안 소설책의 옛 감상도 오래 전 쓰던 풀꽃에 대한 시도, 마리아 라이너 릴케의 시도 모두 사그라들고 말았다. 너만이 나의 완벽한 뮤즈라 그 이외에는 아무것도 필요하지 않았다. 오직 너만이 내 펜촉에 닿을 수 있었다…….

아, 그러나 더는 네 이름이 기억나지 않았다. 난 이미 너를 잃었는데 이젠 너에 대한 기억마저도 잃어야 하는 모양이었다. 혹은, 사실 네 이름을 기억하려고 했던 적조차 없었을지도 모른다.

황홀경 속 보았던 너의 얼굴이 내 기억 속 사라져 버리기 전에 너에 대한 글을 써야만 했다.

평생 잊을 수 없을 줄만 알았던 너의 향취와 눈빛과 우리의 광명을 마치 한여름 밤의 꿈처럼 나는 상실하고 말았다.

네 외투의 소맷자락 안쪽에 적어 내리던 시의 마지막 줄만 새겨놓고 떠났다. 외투는 책방 문고리에 걸어 놓았다. 이후 외투는 치워져 있었는데 네가 가져간 것인지 어찌한 지는 알 수 없었다.

*

이건 초신성을 바라본 마지막 수기이다.

돌아가는 길에 하이힐 한 짝을 주웠다. 신발이 있어도 앞으로 나아갈 수는 없었다. 우리가 함께 올랐던 건물 꼭대기에 올라가 보기도 했다. 담요는 그대로 두고 그림만 챙겨 나왔다. 날은 이미 밝고야 말았다.

푸른 밤에 담겨 있던 희미한 꿈의 파편을 기억한다. 너는 푸른 밤을 헤쳐 나의 꿈을 찾아 주고선 사라져 버렸었지……. 태양 아래 꿈을 꿀 용기가 나지 않아 우리가 함께 하던 거리를 온종일 빙빙 돌며 해가 지기만을 기다렸다. 너에 대한 난잡한 기억들이 하나둘씩 활자가 되어 머릿속 둥둥 떠다니기도 했다.

해가 지고 나서야 네 외투에 적어 두었던 미완의 시를 완성할 수 있었다.

56

상실했습니다.
다만 너 뿐만이 아닌
우리의 기억을 모두
상실했습니다.

밤과 새벽의 상한에 서
우리가 걷던 날갯짓의 흔적을
존재한 적조차 없다는 듯
상실했습니다.

평생 잊을 수 없을 줄만 알았던
너의 향취와 눈빛과 우리의 광명을
마치 한여름밤의 꿈처럼
상실했습니다.

　상실이란 제목을 붙였다. 시 한 수에 너를 묻어두고서는 그
제야 숨을 들이마시었다. 나에게 남은 너-온전한 너는 아니
겠지만, 사실 내 안에 온전한 너를 모두 담았을 리도 없다.-
를 모조리 토해낸 것이다. 나의 시간은 그제야 흐르기 시작
했다.
　하늘을 올려다보았다.
　슈퍼노바. 우리는 초신성과 같이 무엇보다도 밝은 빛을 내
며 타올랐다. 나는 언제나 우리가 성운이 되어 눈부신 빛을
계속해서 좇기를 바랐다. 그러나 우리의 잔재는 블랙홀이 되

고야 만다면 탈출 불가능한 그 시공간에 빨려 들어가기보다는 새로운 빛을 찾아 가보고자 한다.

이제 보니, 내 태양이 꼭 너여야만 하는 건 아닐지도 모르겠다.

다만 이 이야기는 너 없이도 내가 잘 살아갈 수 있으며 완벽한 진리를 찾겠다는 이야기가 아니다. 평생 나는 너를 그리워할 테지만 그럼에도 내 나름의 진리는 찾아 나갈 것이다. 너 없는 내 진리가 완벽할 리 없으나 모든 종교의 형상 역시 그런 모습이 아니겠는가?

타오르는 불꽃만이 아닌

내가 널 사랑한 걸까 내 사랑이 너였던 걸까 알 수는 없다
다만 확실한 것은 네가 내 세계였다는 것
그것만큼은 확언할 수 있다.

하늘이 무슨 색인지 알고 태양이 어떤 모양인지 알지만
말로 설명할 수만은 없듯
살아가다 보면 정의할 수 없이 존재하는 것들과 때로
마주하기 마련이다
나에겐 네가 그랬다.
또 사랑도 그랬다.

나에게 사랑은 희미한 잔상 뿐인 맘이었으며
너는 사라지고서 지워지지 않는 마지막 상으로
남아 있었기에

타오르는 불꽃만이 아닌
타고 남은 재까지도 사랑이라 이르는 것이었다.

아름답디아름답던 겨울 달빛과 이른 봄의 햇살을 다시
한번 마주할 때까지, 그 애는 연이어 활공하기로
약속한다.

작가의 말

 전국의 독자 여러분 무탈하신가요. 저로서는 늘 제 방 책상에 앉아 홀로 작품을 집필했었기에 전국 각지에서 이 책을 읽고 계실 독자님들의 처지가 궁금합니다. 그 곳의 낭만 역시 무탈한가요?

 저의 글은 완벽하지 못합니다. 서툴고 모난 부분이 많습니다. 초등학생 시절 적어 두었던 글과 처음 시를 쓰기 시작한 때의 시가 잔뜩 섞여 있어요. 그렇기에 제 작품들은 통일성 없이 서로 다른 곳을 바라보고 있기도 합니다. 어쩌면 마치 다각도의 저를 시사하는 것 같아 마음에 들기도 해요.

 저는 백지를 아름다운 문장으로 가득 메우는 일이 참 즐겁습니다. 책을 읽을 때 역시 아무 페이지의 아무 단락이나 어디든 아름다운 작품을 좋아해요. 문장 각각이 그 자체로서 아름다운 글을 쓰려고 참 노력했습니다. 독자 여러분께서는 어떤 문장이 가장 마음에 남으셨나요?

저는 유달리 파도의 세기가 문득 떠올라 마음을 울리곤 합니다. 이 글은 본래 동화로 만들어질 예정이었어요. 대부분의 글은 주변 인물들을 뮤즈 삼아 집필하였던 것과 달리 파도의 세기는 오직 저 자신에게 하고 싶은 이야기들을 적었습니다. 이른 봄의 햇살을 바라보며 다시금 활공하기로 날아오르는 그 애는 저에게로 어떠한 희망감을 불러일으켜요.

그 애는 연이어 활공하기로 약속한다.

그 애는 이렇게 약속하고서도 십수 번쯤 더 넘어지고, 날개가 찢겼을 텝니다. 저 역시 그러했듯이요. 그럼에도 저와 그 애 모두 활공하기를 멈출 생각은 없습니다.

저의 필명이기도 한 너도바람꽃의 꽃말은 이른 봄입니다. 마치 그 애에게 그러했듯, 이 작품을 읽은 모든 독자 여러분이 얼마든지 활공할 용기를 지니고 나아가시기를 바랍니다.

20240126 너도바람꽃